ZESTE

DÉCODER ma mère

Presses Aventure, une division de **Les Publications Modus Vivendi inc.**
55, rue Jean-Talon Ouest, 2e étage
Montréal (Québec) H2R 2W8, CANADA

Publié pour la première fois en 2007 par Zest Books, une division
de Orange Avenue Publishing sous le titre *Decoding Mom*.

Traduit de l'anglais par Karine Blanchard

Artisans de l'édition originale :
Directrice éditoriale : Karen Macklin
Directrice de la création : Hallie Warshaw
Auteur : Jake Miller
Éditrice : Karen Macklin
Illustratrice : Linda Ketelhut
Designer graphique : Cari McLaughlin
Artiste de production : Cari McLaughlin

Dépôt légal - Bibliothèque et Archives nationales du Québec, 2010
Dépôt légal - Bibliothèque et Archives Canada, 2010

ISBN 978-2-89660-141-7

Nous reconnaissons l'aide financière du gouvernement du Canada par l'entremise du Fonds du livre du Canada pour nos activités d'édition.

Gouvernement du Québec - Programme de crédit d'impôt pour l'édition de livres - Gestion SODEC

Imprimé au Canada

Comprendre ses caprices, ses tactiques et ses colères

Jake Miller
Illustré par Linda Ketelhut

PRESSES AVENTURE

TABLE DES MATIÈRES

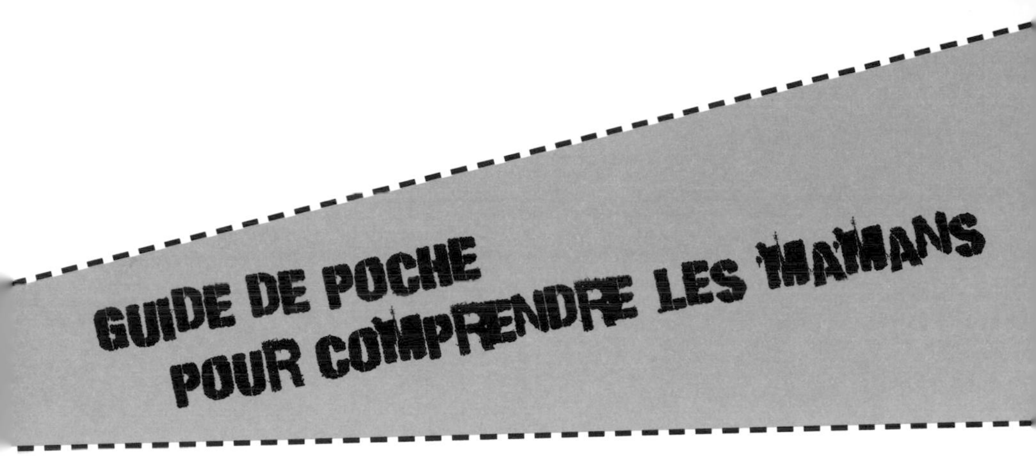

Comment identifier
les différents types de mères,
comprendre leurs états d'âme
et interpréter leur comportement

Nos mères. Elles peuvent être extraordinaires à tellement d'égards. Pourtant, à moins de trouver comment elles peuvent travailler pour nous, nous faisons face à une vie teintée de confusion et de dé sespoir (agrémentée de punitions périodiques). La première étape cruciale à conquérir pour percer le mystère du comportement bizarre de ta mère est de savoir à qui tu as affaire pour mieux l'amener à voir les choses à ta façon. L'objectif principal de ce livre est de te donner des trucs pratiques pour comprendre les lubies caractéristiques de ta mère et pour t'aider à la transformer en quelqu'un de plus... normal.

Les comportements étranges adoptés par nos mères peuvent être compris et, grâce aux techniques appropriées, mieux gérés. Parfois, tu peux même transformer les pires comportements de ta mère en de précieux atouts. Comme c'est le cas dans l'étude de n'importe quelle espèce, même les recherches les plus approfondies ne peuvent entièrement prédire comment une mère va se comporter. Toutefois, ces techniques restent de bonnes pistes pour cerner comment la plupart des mères vont réagir, la plupart du temps.

La grande différence entre une mère et les autres types d'animaux sauvages, c'est principalement que, contrairement à une lionne, par exemple – qui, elle, restera toujours une lionne –, les mères peuvent muter d'un type de maman à un autre, virtuellement sans avertissement. Certaines mères peuvent même incarner deux types à la fois. Si, toi, tu trouves ça étourdissant, imagine comment ta mère se sent quand tu ligotes ton cousin avec du ruban ultrarésistant à l'arrière de la voiture. La voilà déchirée entre la maman Jeune-de-cœur et la maman Force-de-l'ordre, hésitant entre éclater de rire et prendre une photo ou te punir en t'interdisant le droit de sortie pour un mois.

Essaie de voir ces différents types comme des qualités que possèdent toutes les mères, à différents degrés, qui se manifestent plus ou moins agressivement, en fonction de leur humeur du moment. Toutes ces variables peuvent te sembler trop nombreuses à gérer, mais avec un peu de temps, de la pratique et les précieux conseils de ce guide, tu peux aider ta mère à devenir le type de maman dont tu as besoin, au moment opportun.

Une mère : mille visages

Les faces cachées des mères sont nombreuses, mais il existe un certain nombre de personnalités-clés que tu risques davantage de confronter au quotidien.

La maman-amie

Ce type de mère veut avoir l'air cool et n'aime pas se percevoir comme ta mère. Elle est parfaite quand tu as besoin de parler à quelqu'un, mais elle n'est peut-être pas la mieux placée pour te donner des conseils quand tu as de grandes décisions à prendre. La maman-amie est jeune de cœur et ne s'arrête pas aux leçons qu'elle a apprises en vieillissant.

La maman à mémoire photographique

Elle se souvient toujours de tout ce que tu lui as dit. Ce n'est pas la mère idéale à avoir quand tu essaies de modifier ta version de l'histoire qui dit ce que tu devais faire cet après-midi-là ou à quelle heure tu étais supposée rentrer. Variation sur un même thème : la maman à mémoire photographique sélective. Elle, elle se rappelle clairement que tu devais passer la soirée chez une amie, mais elle omet de se souvenir que tu lui avais dit que tu allais dormir là. Tu es donc punie quand tu remets les pieds chez toi le lendemain matin.

La maman alimentaire

Celle-là croit que tout problème peut être résolu par un litre de crème glacée, un bol de soupe au poulet ou sa tarte spéciale double chocolat. Dans le meilleur des mondes, elle en parle à la maman à mémoire photographique pour se rappeler quels sont tes mets préférés.

La maman colérique

Essaie de limiter au minimum tes contacts avec ce type de personnalité et toutes ses variantes. La maman colérique peut être difficile à suivre. Parfois, elle hurle et gesticule tellement qu'on dirait que de la fumée va lui sortir par les oreilles. Autrement, elle reste assise, figée et silencieuse, puis elle te fixe d'un regard glacial.

La maman Ma-fille-sera-une-vedette

Elle croit viscéralement que tu as tout ce qu'il faut pour être la plus redoutable pianiste à dos de cheval du monde, tout ça parce que tu as, une fois, réussi à jouer une jolie version d'*Au clair de la lune* et que tu as jadis eu un faible pour les poneys. C'est merveilleux que ta mère croie en toi et tes talents. Évidemment, si tu ne t'es pas assise au piano depuis tes six ans et que tu ne peux toujours pas supporter l'odeur des chevaux, cette mère peut te sembler un peu irritante et, ma foi, un peu déconnectée.

La maman qui aime s'écouter parler

Celle-ci ne s'inquiète sans doute pas de savoir si tu l'écoutes vraiment, dans la mesure où tu lui laisses croire que c'est le cas (ici, quelques hochements de tête, un air triste ou touché, ou encore une pointe de remords, selon la situation, peuvent être bien utiles). Si toutefois elle se transforme en maman Je-veux-seulement-que-tu-apprennes-de-mes-erreurs, il se pourrait que ce qu'elle a à dire soit étonnamment judicieux, que ce soit de précieux conseils qui peuvent te sortir de situations problématiques qu'elle a déjà vécues ou de subtils indices qui révèlent une partie de son passé secret dont tu pourras un jour faire bon usage. Ainsi, même si elle ne semble pas se soucier du fait que tu l'écoutes ou non, il peut toujours être utile de prêter l'oreille lors de certains moments-clés.

La maman cool

Petite cousine de la maman-amie, la maman cool est relax et pas trop portée sur les sermons. Elle veut simplement être cool... comme toi. C'est fantastique d'avoir la maman cool à proximité pour certaines situations, surtout quand tu souhaites être pardonnée d'avoir organisé une fête à la maison sans lui en parler. (Elle te pardonnera, mais voudra être invitée à la prochaine.)

Le combo de mamans

Les types décrits ci-dessus ne sont qu'un extrait de la réalité. Les mères sont hyper compliquées. Ta mère peut se métamorphoser en un éclair, et les possibilités de combinaisons sont infinies. La maman colérique, additionnée de la maman Ma-fille-sera-une-vedette, à laquelle s'ajoute la maman-amie pourrait donner un combo appelé Tu-ferais-mieux-de-le-faire-parce-que-je-n'ai-pas-pu-et-que-de-t'avoir-a-ruiné-ma-vie. Ajoute à cela un peu de la maman alimentaire et tu te verras engloutir un bien joli repas avant ton premier rodéo-concert.

La maman humaine

Bien qu'elle te paraisse étrange au possible, n'oublie jamais que ta mère est avant tout un être humain, une personne, tout comme toi. Il peut te sembler qu'elle prend toutes ses décisions en ayant pour seul critère de rendre ta vie misérablement désastreuse, mais il reste qu'il y a de bonnes chances que, au moins la moitié du temps (et plus encore), elle ait de bonnes raisons d'agir de la sorte et de te dire ce qu'elle te dit.

Apprendre les techniques d'observation maternelle qui pourraient te sauver la vie

Pour en soutirer le maximum, il est important de bien connaître sa mère. En faisant une petite recherche – c'est-à-dire en étudiant sa façon de réagir à différentes situations et en prenant des notes dans un journal qu'elle ne doit voir sous aucun prétexte –, tu seras vite en mesure de reconnaître instantanément ses humeurs et, en un tournemain, tu sauras adapter tes techniques pour composer avec elle. C'est là la clé pour obtenir ce que tu veux. Le pire scénario possible est de penser que tu t'adresses à la maman-amie, alors qu'elle s'est transformée, à ton insu, en maman colérique trente secondes avant votre conversation.

Pour améliorer tes techniques d'observation maternelle, essaie de prendre exemple sur les ornithologues, qui peuvent identifier, à l'aide seulement d'indices subtils, quel oiseau niche à la cime d'un arbre.

Le plumage

Quand ta mère enfile son pantalon de jogging le plus confortable, c'est qu'elle est d'humeur joyeuse et légère ou c'est plutôt qu'elle est au bord de la crise de nerfs ? Les vêtements sont à ta mère ce que les plumes sont aux oiseaux, et ils peuvent dénoter le bonheur et l'amour ou la terreur et la rage. Observe ses habitudes vestimentaires pour découvrir quand elle est dans de bonnes dispositions ou quand elle est plus dangereuse qu'une flaque d'essence à côté d'une allumette allumée.

Essaie spécifiquement de déterminer ce que ta mère porte quand elle est de mauvaise humeur et tâche de ne pas lui demander de grande faveur quand tu la vois vêtue de la sorte. Si elle s'est mise toute belle, arborant sa belle jupe fleurie préférée et qu'elle te fixe d'un regard plein de sous-entendus quand tu passes la porte, c'est peut-être que tu as oublié que vous deviez sortir ensemble pour son anniversaire. Excuse-toi. *Maintenant.*

Si elle prend un temps fou à se préparer ou encore si elle choisit des vêtements beaucoup trop élaborés pour l'occasion (par exemple, des collants pour aller à un pique-nique), c'est peut-être qu'elle est nerveuse ou qu'elle essaie de faire bonne impression sur quelqu'un. C'est un moment bien choisi pour lui dire un beau compliment; ça te vaudra certainement quelques points bonis. Si elle enfile son jeans délavé et usé et qu'elle coiffe ses cheveux non lavés d'un bandana, c'est qu'elle est prête à s'attaquer à une tâche colossale ou qu'elle est épuisée et ce n'est alors pas le moment de l'agacer. Dans ces cas-là, fais-toi petite. Évidemment, chaque mère a son propre sens du style qui évoque alors différents signaux vestimentaires. Mène ton enquête pour peaufiner ton analyse.

Le comportement

Pas besoin d'un diplôme en psycho pour savoir que si elle rit, c'est qu'elle est heureuse, et que si elle pleure, c'est qu'elle est triste (à moins que ta mère prenne plaisir à être en colère, ce qui serait fort inquiétant). Le truc, ici, c'est de débusquer des indices qui te permettront de prédire *quand* ta mère pourrait être triste. Est-ce qu'elle passe l'aspirateur pour s'occuper et ainsi éviter d'angoisser ? A-t-elle une bonne amie qu'elle appelle toujours juste avant de s'effondrer ? Si tu sens l'approche d'une tirade accusatrice, essaie de lui faire remarquer une chose terrible que ton père ou ton frère a faite. Ça lui donnera une cible plus constructive pour canaliser sa colère (et te permettra d'éviter d'être la victime, cette fois-ci).

La voix

Il est souvent plus utile d'écouter le ton de sa voix quand elle te parle plutôt que le contenu de ce qu'elle te dit. Certaines mamans, lorsqu'elles sont heureuses, vont chanter et faire des blagues, alors que d'autres vont préférer savourer le silence d'un moment calme passé en famille. Ta mère peut tout aussi bien se mettre à parler vite si sa colère monte, comme elle peut baisser le ton et adopter une voix très posée pour signifier qu'elle n'entend plus à rire, comme elle peut se mettre à employer un langage pas toujours convenable quand elle s'apprête à te punir pour ton comportement immature. Avec le temps, tu apprendras à reconnaître la voix de chacune des personnalités que ta mère abrite et tu sauras donc comment les gérer, ainsi que la situation, de la manière la plus appropriée qui soit.

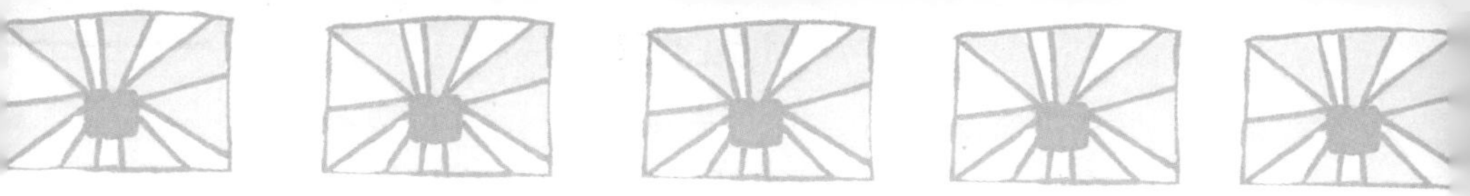

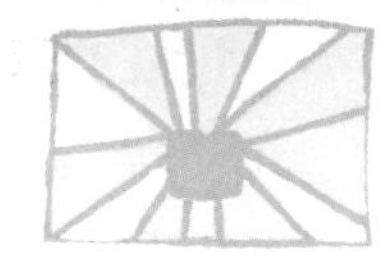
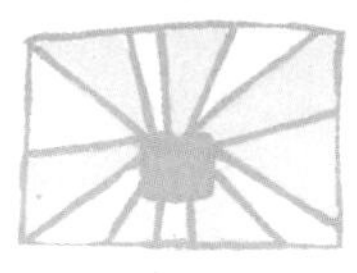

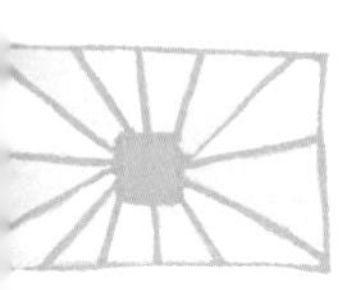
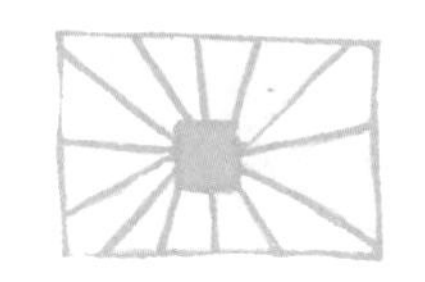
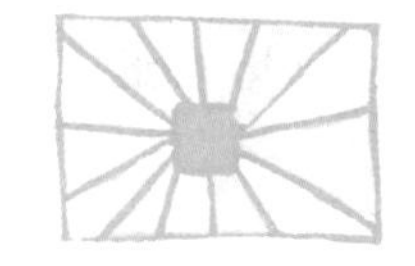

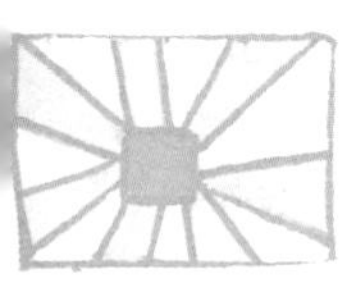
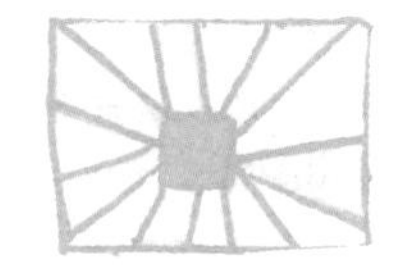

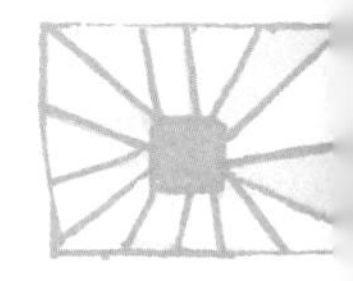

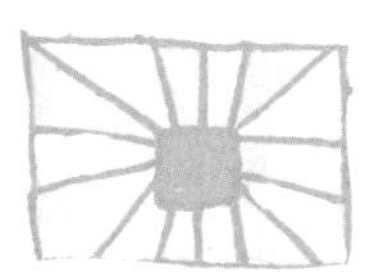
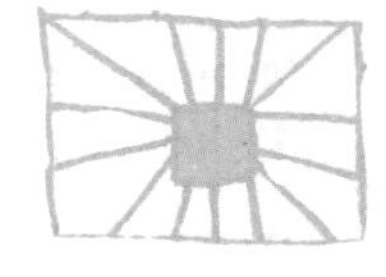
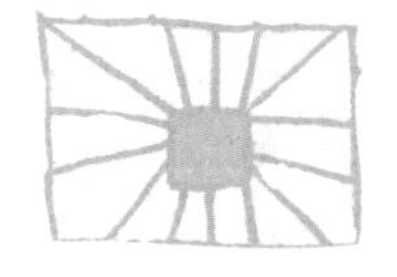
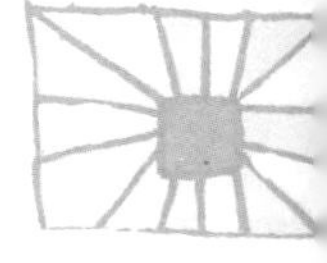

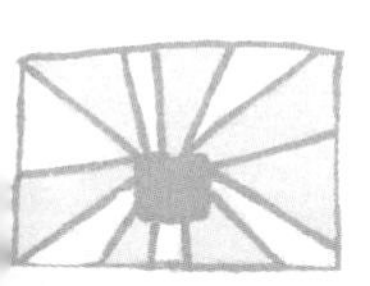

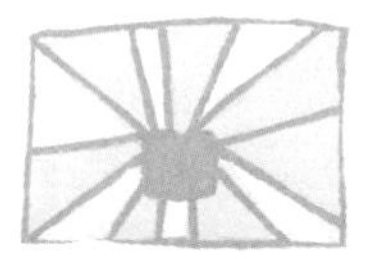

Ce qui l'embête et ce qui l'enrage

Avant de pouvoir décoder tous les rouages secrets qui dictent les humeurs changeantes de ta mère, tu dois apprendre à prédire sa prochaine action et comprendre quels genres de situations provoquent quels genres de réactions.

Encore une fois, la méthode scientifique te sera des plus utiles. À partir des observations que tu as déjà faites de ses réactions passées, tu peux maintenant te livrer à certains essais qui te permettront de prédire ses comportements futurs.

Un, deux, test

Qu'est-ce qui rend ta mère de bonne humeur ? Est-ce qu'elle frétille de bonheur quand ton père lui apporte des fleurs ou est-ce plutôt quand tu sors les poubelles avant qu'elle te le demande ? Efforce-toi d'identifier les différents éléments qui la font sourire afin d'en isoler les éléments-clés. Tu peux toujours essayer de lui apporter des fleurs la prochaine fois que tu sors les poubelles pour voir si ça la rend doublement heureuse.

À mesure que tu te familiarises avec ses réactions, tu peux aussi expérimenter de tout nouveaux éléments. Si elle est célibataire, présente-lui ton gentil prof de musique (si, et seulement si, il est aussi célibataire). Assure-toi de la complimenter sur ses talents de cuisinière ou ses goûts vestimentaires et remercie-la pour les précieux conseils qu'elle te donne (même si tu doutes de leur pertinence).

Inversement, le chemin qui te mène à la découverte de ce qui l'enrage est plus périlleux. Associe-toi d'abord à quelques alliés pour t'aider dans cet aspect de ta recherche. As-tu un grand frère qui a le don de rendre ta mère hystérique ? Prends en note toutes les petites choses qu'il fait qui la rendent folle. Tu peux aussi noter les choses qu'il fait pour éviter les problèmes. Compile les résultats et constate leur degré d'efficacité. Subtilement, conseille-lui de tenter telle ou telle chose pour être dans les bonnes grâces de votre mère – particulièrement ces essais risqués que tu n'oserais toi-même expérimenter. Par exemple, suggère-lui ceci : la prochaine fois qu'il contrevient à un règlement, il devrait en parler à votre mère avant de se faire prendre pour éliminer l'élément de surprise. Ou encore, dis-lui qu'il devrait argumenter au lieu d'écouter et hocher la tête quand elle crée le règlement en question.

Ça peut sembler assez dangereux a priori, mais ces méthodes peuvent être étonnamment efficaces. Pourquoi apprendre par toi-même ce que tu peux découvrir à travers les erreurs de ton frère ? Si tu es enfant unique, tu te trouves ici un peu désavantagée. Pour obtenir les résultats escomptés, tu devras peut-être te lancer tête première dans le feu de l'action et en tester l'issue par toi-même. Sois prudente.

Petit avertissement

Si ta mère se rend compte que tu mènes secrètement une enquête psychologique à son sujet, ça risque de la perturber. Si c'est le cas, prends bien soin de noter tout comportement singulier dans ton carnet. Pose-lui des questions du genre : « Et comment tu t'es sentie ? » Puis, à chacune de ses questions, réponds ceci : « Mmm hmmm. C'est une question intéressante. Et qu'est-ce que tu penses que ça veut dire, en fait ? » Bien sûr, tout ça risque de l'enrager, mais sois attentive à sa réaction; celle-ci pourrait te fournir quelques données intéressantes à prendre en considération dans ton enquête.

Tu peux aussi ajouter que tu souhaites seulement essayer de la comprendre. Les mamans aiment être comprises, alors ceci devrait te donner un bon coup de main pour la convaincre que tu n'es pas une sorte de scientifique zélée qui conduit, au hasard, des expérimentations psychologiques sur les membres de sa famille ou que tu vises à publier un livre sur, euh... les comportements maternels secrets.

Ton arme secrète

Bien que ça puisse te sembler difficile à croire, les mères ont généralement de bonnes raisons (qui, à leurs yeux, sont sensées) de faire ce qu'elles font. C'est fantastique... pour *elles*.

En effet, à moins que ta mère ne te dévoile ces raisons, tu n'as aucune idée du comment ou du pourquoi de ce qui se passe dans sa tête. Le but premier des expériences mentionnées ci-dessus, c'est de déterminer comment réagira ta mère face à des moments précis de la vraie vie. Mais, il existe une méthode encore plus sournoise de connaître ce que ta mère pense ou manigance : demande-lui carrément. Elle ne s'attendra sûrement pas à une approche aussi radicale et ne sera donc pas prête à se défendre.

Il y a plusieurs écoles de pensée à l'égard du moment à privilégier pour user de cette technique, mais, en fait, tout dépend du type de maman. Certaines d'entre elles seront plus enclines à te donner de l'information quand elles sont de bonne humeur. D'autres te demanderont attention et persévérance. À ton avis, est-ce que ta mère te rappelle d'être hyper prudente pour ta randonnée en montagne parce qu'elle veut que ce soit ennuyant ou est-ce plutôt parce qu'elle est elle-même déjà tombée nez à nez sur un yéti dans les montagnes himalayennes ? Ce n'est pas le genre d'anecdote qui ponctue les conversations de tous les jours; alors, il se peut que tu aies besoin de te montrer persuasive et patiente si tu veux connaître le fond de l'histoire.

Observer les techniques fraternelles

Il est essentiel de te rappeler que ce qui fonctionne pour ton frère ou ta sœur peut ne pas fonctionner pour toi. Tu découvriras peut-être que faire l'exact opposé que ce que ferait ton frère ou ta sœur est nettement plus payant.

Par exemple, Philippe, le frère plus âgé, s'obstine avec sa mère et argumente sur presque tout ce qu'elle lui conseille, mais finit toujours par faire ce qu'elle a suggéré. Les quelques rares fois où il ne l'écoute pas, sa mère est si fatiguée de débattre la question qu'elle se rend à peine compte qu'il n'a pas suivi son conseil, et elle est d'ailleurs à peine surprise puisqu'il l'avait bien avertie qu'il ne le ferait pas. La plus jeune sœur, Sara, opte pour la méthode inverse. Elle approuve et accepte tous les conseils que sa mère lui donne en la remerciant. À l'occasion, elle ajoute même qu'elle n'arrive pas à croire que son grand frère soit si rébarbatif. Puis, la plupart du temps, Sara finit par faire exactement ce qu'elle veut, c'est-à-dire le contraire de ce que sa mère lui a dit. Ces deux tactiques – argumenter ou accepter – sont d'excellentes façons de donner à leur mère l'impression qu'ils l'écoutent, alors qu'ils obtiennent la précieuse liberté d'action dont ils ont besoin.

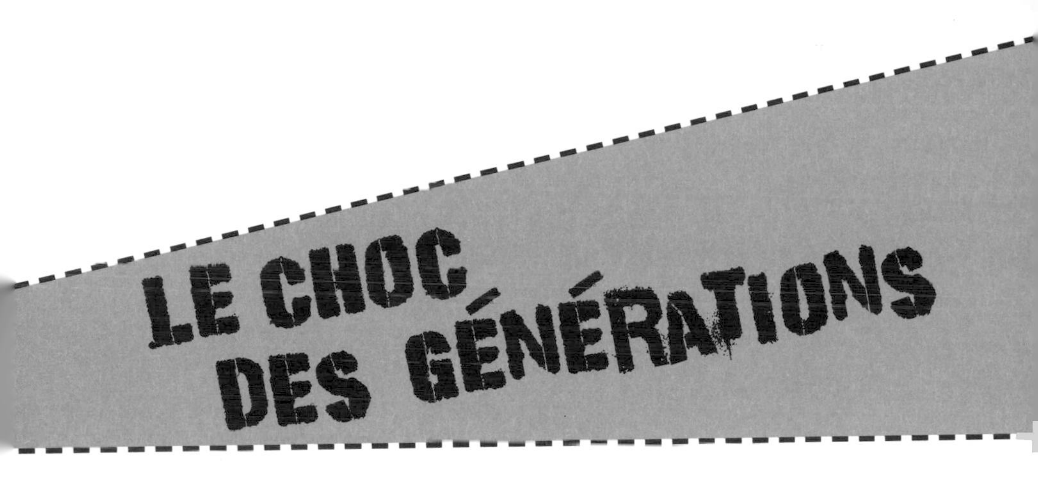

Proximité parent-enfant : savoir tracer la ligne

Voici une pensée terrifiante : ta mère a déjà été enfant. Encore pire : certaines mamans croient qu'elles sont encore jeunes. Si tu mets de côté les aspects les plus épeurants de ce délire, tu peux faire bon usage de cette information. C'est le moment de mettre à l'épreuve tes talents d'investigatrice intelligente et clandestine (c'est-à-dire d'espionne).

Essaie d'abord de trouver de vieux albums photos contenant des photos de ta mère (garde les photos les plus embarrassantes dans un lieu sûr et secret pour une séance ultérieure de chantage). Ce que tu cherches, c'est principalement comprendre le fonctionnement de son esprit. Essaie donc de voir ce qu'elle trouvait cool et ce qui la caractérisait. Tu peux même lui demander comment elle était à l'époque (mais n'aie pas l'air TROP intéressée, car elle pourrait alors se douter de quelque chose). Tu peux aussi investiguer auprès de tes grands-parents, tes oncles, tes tantes et ton père et leur demander de te raconter des histoires savoureuses concernant ta mère.

Informations privilégiées (ou comment remonter aux sources)

- Feuillette ses albums scolaires – pars à la chasse aux coupes de cheveux atroces, lis les messages et cherche les indices qui te diront dans quelle clique elle était et qui étaient ses amis.

- Découvre la musique qu'elle aimait (arrête-toi aux listes de lecture qui portent la mention « metal » ou « punk » sur son MP3).

- Quand ses amis d'université viennent à la maison, interroge-les sur ce qu'était « le bon vieux temps ».

- Furète dans le sous-sol pour débusquer de vieux trésors : des t-shirts achetés lors d'un concert, des magazines de tatouages, etc. Ce sont de précieux indices.

- Essaie aussi de trouver de vieilles revues, tente de savoir quelles émissions elle écoutait et tâche de comprendre à quoi ressemblait sa vie quand elle était jeune. Par exemple, une femme qui a grandi en regardant Charlie et ses drôles de dames (la série télé, pas le film) aura sans doute un bien drôle de sens du style et une vision déformée de ce qu'est vraiment la lutte au crime dans la société.

Utilise ces moments mortifiants à ton avantage

La prochaine étape de ta démarche est de mettre tes nouvelles connaissances à l'épreuve. Si tu veux mettre ta mère de ton côté, tu peux commencer par écouter la musique qu'elle aimait quand elle était jeune. (Attention ! Elle pourrait se mettre à danser, ce qui peut être alarmant, si tu n'y es pas préparée.) De la même façon, si ta mère était la première de son quartier à maîtriser le moonwalk et à tourner sur sa tête, tu peux te servir de cette information si tu veux la convaincre de te conduire au mégaconcert hip-hop de ce week-end. D'un autre côté, si tu veux que ta mère, jadis punk rocker, perde complètement les pédales, tu peux porter une chemise boutonnée jusqu'au cou et des loafers.

Tu peux aussi tester tes nouveaux acquis dans une conversation. Si ta mère adorait le heavy metal, tu peux lui dire que ton groupe gothique préféré est un peu comme Metallica, mais avec des piercings. Les mères adorent quand on parle leur langage. Si, par exemple, ta mère avait la réputation d'organiser les parties les plus endiablées de la ville, tu pourrais obtenir la permission de recevoir quelques amis pour une pizza en lui disant : « Sérieux, maman, c'est pas comme si on allait être tellement nombreux sur le patio qu'il croulerait sous le poids et que je serais obligée d'engager un entrepreneur pour qu'il le répare avant que tu reviennes de vacances. » Elle sera si troublée que tu aies découvert comment s'est terminée sa scandaleuse soirée de la fête nationale au début des années 1980 qu'un petit festin pizza lui apparaîtra comme la meilleure des idées. Si ça ne fonctionne pas, menace-la de tout raconter à ton père ou, pire, à tous les membres de l'association parents-profs, qui ne la connaissaient pas, à l'époque.

Solutions antifuretage

pour protéger ton repaire
(et ta relation avec ta mère)

Dans toute relation, la confiance est sans contredit une des valeurs les plus importantes. Tu dois pouvoir attendre de ta mère qu'elle soit juste envers toi, comme elle doit savoir que tu ne te mettras pas volontairement les pieds dans les plats. Si seulement ces deux vérités pouvaient toujours faire partie intégrante des relations parent-enfant ! Mais, parfois, les mères s'inquiètent de ce qu'elles nous croient en train de faire plutôt que de ce qu'on fait réellement. Et, parfois, les enfants dépassent les limites des petits plaisirs rebelles pour sombrer dans de vrais problèmes.

Juste pour voir

Certaines mamans fouinent pour de bonnes raisons. Elles s'inquiètent pour leur fille et veulent simplement s'assurer qu'elle est en sécurité et qu'elle fait des choix équilibrés dans sa vie. Les intentions de ta mère sont bonnes, mais tant que tu ne te fais pas de mal (et que tu ne blesses personne d'autre) et tant que tu ne fais pas de conneries majeures, tu as tout de même droit à une certaine intimité.

La seule façon absolument infaillible de ne jamais être prise en défaut est de ne jamais défier les règles. Cela dit, ça peut être difficilement réalisable, surtout quand on pense aux règlements farfelus que les mères sont capables d'inventer. Le meilleur moyen de limiter le furetage de ta mère est de volontairement lui dire ce qu'elle a besoin de savoir. Rappelle-toi toujours que c'est son devoir de te protéger. On a tous vu les documentaires au Canal D. On sait tous à quel point la maman ours peut devenir mauvaise quand elle est inquiète ou en colère. Dis à ta mère ce que tu comptes faire et où tu vas. Présente-lui tes amis et reste joignable quand tu es à l'extérieur.

Pour ce qui est de ce que tu aimerais garder pour toi, c'est simple : n'en parle pas. Si tu n'as pas envie de discuter de ton suprême moment embarrassant avec ta mère (tu es déjà chanceuse qu'elle n'ait pas été à proximité, caméra en main, quand s'est arrivé), n'en parle tout simplement pas. Ensuite, croise les doigts pour qu'elle ne l'entende pas de la bouche de quelqu'un d'autre.

L'art de l'illusion

Joue les illusionnistes. Si un magicien veut s'assurer que tu ne vois pas ce qu'il fait de sa main gauche, il brandit sa baguette magique dans sa main droite et fait apparaître quelques flammèches et un nuage de fumée. Toi, tu dois mousser tout ce que tu fais de bien (ça t'arrive certainement de temps en temps, non ?) afin que ta mère ne regarde pas de trop près le lapin que tu sors de ton chapeau – ou plutôt, en ce qui te concerne, quand tu arrives à la maison avec des cheveux couleur punch-aux-fruits ou avec, en main, ton bulletin de mi-session peu reluisant. (Note : Essaie de ne pas trop coller au modèle du magicien. Si tu te mets à porter chapeau haut-de-forme, cape et léotard à paillettes, tu risques de te faire un peu trop remarquer. Surtout, laisse aux pros le numéro du sciage-de-personnes-en-deux.)

La maman super-fouine

Alors que la plupart des mères fouinent tout simplement pour s'assurer que leur fille ne court aucun danger, il existe des mamans super-fouines qui fouinent pour le plaisir de fouiner. Toutes les B.A. du monde ne l'empêcheront pas de farfouiller dans ton tiroir de chaussettes pour trouver ton journal intime verrouillé. Si ta mère est comme ça, tu devrais peut-être te créer un journal virtuel, l'encrypter dans ton ordi et le protéger avec un code impossible à déchiffrer, puis le cacher dans un dossier qu'elle ne penserait jamais consulter (un dossier nommé « Devoir d'algèbre », par exemple). Tu peux aussi remplir les pages de ton journal des pires histoires que tu puisses imaginer qui racontent les trucs les plus stupides et les plus risqués que toi et tes amis aimez faire. Au moins, ça lui fera de la lecture divertissante. Finalement, quand elle te confrontera à ce sujet, tu pourras lui répondre à quel point ce n'est pas cool, ce furetage excessif.

Si tu es absolument certaine que ta mère est une super-fouine, donne-lui matière à s'inquiéter en parsemant ta chambre de fausses cachettes secrètes, comme un dictionnaire évidé ou des tiroirs à double fond. Tu peux même glisser une note qui dit « Salut, maman ! » dans ta meilleure cachette, mais seulement si tu sais qu'elle a un bon sens de l'humour et/ou si tu veux qu'elle sache que tu sais qu'elle fouille dans tes affaires.

Dernier avertissement : Même si tu crois que tes techniques de dissimulation sont infaillibles, que ton langage secret est indéchiffrable et que tes possessions secrètes le resteront, sache que certaines mères ont l'air issues du FBI : elles peuvent tout trouver et brouiller les pistes. Même si tu retrouves toutes tes choses dans leur état (et leur emplacement) initial, ça ne veut pas dire que la super-fouine n'a pas mis la main dessus.

Conseils pour la prendre en flagrant délit

Malgré qu'elle ait juré n'être entrée dans ta chambre que pour épousseter, c'est clair que ta mère a fait une enquête secrète assez exhaustive pour faire pâlir d'envie les experts en scènes de crime qu'on voit à la télé. Sachant ça, voici quand même quelques trucs qui te donneront une longueur d'avance dans cette bataille d'espions.

- Pose un piège à paillettes. Emplis les pages de ton journal de petits brillants. Si ta mère le consulte, ta chambre rayonnera comme une boule disco et tu sauras qu'on a fouillé ton repaire.

- Garde l'œil ouvert à distance grâce à ta webcam. À moins que ta mère soit vraiment versée en informatique, elle ne se rendra jamais compte que ce petit globe sur ton ordinateur enregistre chacun de ses gestes.

- Organise un désordre volontaire. Éparpille quelques papiers sur ton bureau, puis prends une photo, pour référence future. En revenant à la maison, tu pourras voir si elle a feuilleté tes notes. Si les papiers ont changé de place ou, pire, s'ils sont rangés en une belle pile, tu sauras qui est la coupable.

Comment composer
avec ces ultimes moments
d'embarras maternel

Quand tout le monde te regarde, c'est déjà bien assez embarrassant. Mais quand tout le monde a les yeux rivés sur ta mère, c'est bien pire. Oui, nos mères veulent être impliquées dans nos vies, mais rien n'est plus mortifiant qu'une maman qui se lance sous les feux de la rampe. Quand tu es confrontée aux pires situations humiliantes, essaie ces petits trucs pour conserver ta dignité ou, à tout le moins, ton sens de l'humour.

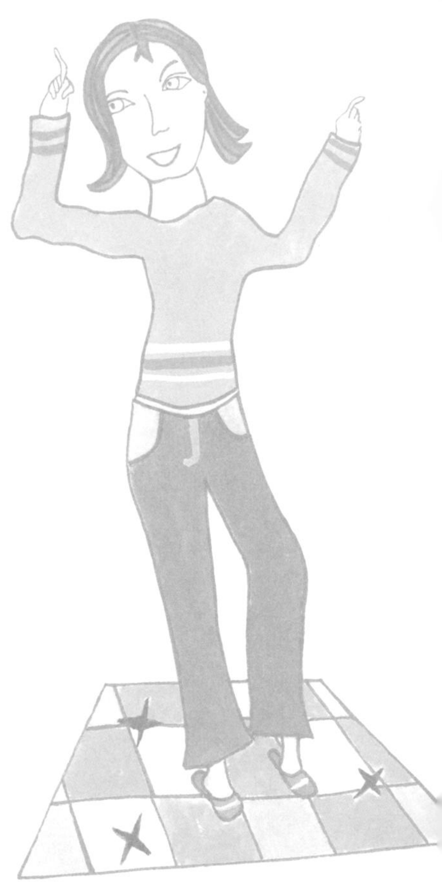

1- Comment gérer les pas de danse

C'est presque impossible à mettre en mots : les ondulations, les rebonds, les tours sur elle-même, les rotations des hanches qui suivent un rythme, alors qu'elle plie les jambes et que ses bras suivent une autre cadence... Comment peut-elle appeler ça de la danse ? Quand elle fait ça seule à la maison, devant la famille ou avec ses propres amis (se faisant aller au son d'une chanson démodée, qui joue au poste de radio « Nostalgie » ou qui s'échappe d'un de ses vieux CD poussiéreux), c'est déjà terrifiant. Mais quand elle fait ça en public, devant tes amis, c'est l'horreur totale.

Si tu ne peux supporter de rester assise, impuissante, pendant que ta mère se dandine devant tous tes amis, voici quelques solutions à envisager. Tu peux d'abord faire semblant de rien et y aller de quelques mouvements de ton cru, avec tes amis, en ignorant les simagrées à l'autre bout du plancher de danse. Tu peux aussi te déhancher jusqu'à elle et danser à ses côtés.

Si tu veux être gentille, tu peux même faire de ton mieux pour danser comme elle. Si tu choisis cette solution, fais bien attention. Elle pourrait croire que tu ris d'elle (quoique...) et instantanément muter en la maman colérique pour une période indéfinie. Elle peut aussi penser que tu admires son groove et t'imposer sa performance lors de toutes les sorties à venir.

2- Accepter les DPA

Il peut arriver que ta mère te fasse sentir comme un bébé. C'est vrai, elle te connaît depuis que tu es toute petite; c'est donc difficile pour elle d'accepter que tu es une grande fille indépendante, maintenant. Cela dit, si ta mère ressasse l'époque où tu portais des couches alors que vous êtes en famille pendant un souper de Noël, ça peut toujours aller. Si elle essaie de te couvrir le front de bisous bruyants devant toute l'équipe de soccer, c'est une tout autre affaire. Si ta mère choisit la seconde option, c'est qu'elle carbure aux DPA (démonstrations publiques d'affection).

Ce n'est pas évident à gérer, c'est sûr, mais la meilleure attitude reste le détachement. Roule des yeux nonchalamment pour t'aider à rester calme, passant le message à tout témoin compatissant que, malgré cette exaspération mineure, tu sais bien t'approprier ton sentiment d'indépendance. Si tu affiches une face dégoûtée, tu bousilles alors toute chance d'avoir l'air cool et mature. Si tu piques une colère, tu auras l'air d'une ingrate aux yeux de tout le monde autour qui avait pourtant vu ta mère comme dévouée et aimante.

3- Résister à la honte des photos de bébé et des histoires d'enfance

Dans un cas comme celui-là, on ne se demande pas si notre mère va le faire, mais bien quand elle va le faire. Les mères adorent ces clichés humiliants, un peu flous, où on apparaît toutes petites et souvent toutes nues, qu'elles ont ramassés au fil des ans. Le problème, c'est qu'elles aiment tout autant raconter les histoires embarrassantes qui vont avec. Toi, évidemment, tu les détestes. Ainsi, la prochaine fois que ta mère expose fièrement tes photos de bébé devant tes amis et leur raconte à quel point tu étais fière la première fois que tu as fait pipi dans le pot, sois préparée et aie quelques bonnes histoires en tête (ou, mieux, quelques bonnes photos en main) qui lui rappelleront que tu n'es pas la seule à avoir vécu certaines choses qui auraient mieux fait de rester dans le passé. (Ça pourrait être un bon moment pour ressortir les photos compromettantes que tu as réunies plus tôt.)

Si tu n'as pas réussi à trouver de preuves incriminantes en fouillant le passé de ta mère, tu peux toujours t'impliquer dans la conversation quand elle se met à relater les hauts faits de ton enfance.

Comme ça, tu pourras faire dévier l'attention de ses interlocuteurs quand arriveront les moments les plus embarrassants, comme tu pourras réduire la longueur des séances. Et si elle commence à montrer de vieilles vidéos de soupers de famille à ton petit ami, celles où tu as la face couverte de sauce à spaghetti, alors empare-toi de la télécommande et fait avancer l'image jusqu'à la meilleure scène (du moins, la moins mortifiante). C'est évident que ta maman ne cherche pas à t'humilier. Elle veut simplement montrer au monde entier ce lien spécial que vous partagez. Cela dit, si, en effet, elle cherche volontairement à t'humilier, tu ferais mieux de t'exercer aux solutions proposées ci-dessus (c'est-à-dire rassembler le plus d'informations compromettantes) et de bien planifier ta revanche.

Épuisée d'être mortifiée ? Privilégie les bons moments partagés

Si ça se trouve, tous ces moments embarrassants que te fait subir ta mère ne sont que des appels à l'aide. Si ce qu'elle souhaite, c'est passer plus de temps avec toi et attirer ton attention, alors que ce que tu souhaites, c'est protéger ta réputation auprès de tes amis, tu dois trouver une solution qui comblerait les besoins de chacune. Avant sa prochaine attaque à grands coups d'albums de bébé, esquive l'offensive en lui proposant différentes activités à faire en tête à tête, toutes les deux (hors du champ de vision de tes amis). Passe du temps avec elle en cuisine ou sur le court de tennis. Comme ça, tu apprendras les secrets de sa lasagne végé et de sa technique de revers, alors qu'elle satisfera son envie d'être avec toi sans complètement ruiner l'image que tu t'es forgée à l'école.

Comprendre les goûts (ou les errances) vestimentaires de ta mère

Dans le rayon des conflits vestimentaires, il existe deux sortes de mères dont on doit se méfier : celles qui souhaitent que l'on reste jeunes à jamais (pour qu'elles aussi puissent le rester) et celles qui ne s'inquiètent pas du fait qu'on vieillisse, mais qui aimeraient que, ce faisant, on adhère à leur version de ce qui est cool. (On retrouve également une catégorie de mères particulièrement étranges qui veulent que leur fille soit comme un modèle miniature d'elles-mêmes. Autrement dit, soit elles affichent un look beaucoup trop jeune, soit leur fille se retrouve attriquée comme une avocate sortie des années 1990.) Heureusement, certaines mamans ont beaucoup de goût et choisissent avec leur fille des vêtements tout à fait appropriés, alors que d'autres laissent leurs enfants se vêtir comme ils l'entendent. Mais si, chanceuse, ta mère est comme ça, tu n'as pas besoin d'un coup de main dans ce dossier, alors on n'en parle pas davantage et on passe aux choses sérieuses.

Jeunesse éternelle

Les mères ont de bons outils pour s'assurer que l'on soit perpétuellement gênées, même quand elles ne sont pas dans les parages, et la sélection vestimentaire est un de ceux-là. Il y a différents types de mères qui n'hésiteront pas à s'en servir.

La maman Ne-grandis-pas-trop-vite et la maman Ne-fais-pas-les-mêmes-erreurs-que-moi veulent te protéger de toutes ces horreurs qui affligent un enfant qui vieillit. Une de leurs tactiques privilégiées pour arriver à leurs fins est d'acheter les vêtements les moins à la mode qui soient. Elles estiment que si tu as l'air tarée, personne ne va te harceler. Le problème, c'est que ce n'est pas comme ça que ça marche. Si tu continues de porter des t-shirts Ma petite pouliche et des shorts Batman, tu n'attireras certainement pas d'attention indésirable, mais tu ne marqueras pas trop de points en ce qui concerne la popularité non plus.

Si ta mère t'achète des vêtements qui te donnent l'air d'une enfant, c'est probablement parce qu'elle a peur de te perdre. Elle a peut-être aussi un peu de difficulté à concevoir ce qui est tendance chez les jeunes, à différentes étapes de leur vie. Il est essentiel que tu trouves une façon de passer ton message à ta mère en lui disant comment tu te sens de façon qu'elle comprenne. Si tu gémis en hurlant : « Maman, j'ai l'air d'un bébé avec ça sur le dos ! », elle entendra seulement ta voix pleurnicheuse et se rappellera tous les bons moments que vous avez partagés avant que tu apprennes à parler. Essaie subtilement de lui faire voir ce que les jeunes de différents milieux

et de diverses cliques portent et ajoute quelques commentaires qui expliquent pourquoi certains sont plus cool que d'autres. Elle se sentira dans le coup, et tu pourras ainsi en profiter pour lui glisser quelques indices sur le genre de vêtements que tu aimerais qu'elle achète. Tu peux toujours demander les sous à tes parents et t'arranger pour magasiner toute seule. Offre ton aide à la maison et fais des tâches supplémentaires pour augmenter ton butin. Tu peux aussi proposer à ta mère de faire quelques achats pour elle en même temps. Voilà de belles façons de regagner un peu d'autonomie... et ton pouvoir d'achat.

En dernier recours, essaie de mettre la main sur la plus grande taille possible du t-shirt Ma petite pouliche ou du short Batman et offre-les à ta maman pour la fête des Mères ou pour son anniversaire. Si elle ne comprend pas ta façon pas trop subtile de lui dire que tu en as soupé de ces horreurs, vous aurez au moins l'occasion de vous habiller pareil, ce qui peut être drôle, dans la mesure où personne ne vous voit.

Les conseils vestimentaires de la maman cool

Qu'elle essaie de te faire adopter sa version du look branché des années 1980 ou qu'elle te force à t'habiller selon sa perception de ce que tu trouves cool, la maman cool peut devenir un vrai cauchemar vestimentaire. Une des étapes importantes du passage à l'âge adulte est la création de ton identité, distincte de celle de ta mère. C'est le genre de rébellion qui ne peut être soumise à un projet de collaboration mère-fille. Ton look de dur à cuire peut perdre de la crédibilité si c'est ta maman qui a choisi l'ensemble.

Ta mère a certainement l'impression qu'elle te fait une faveur en te donnant accès à tout ce qui est branché. Ce n'est pas vraiment sa faute si elle ne sait pas voir la différence entre un soulier de skate et une sandale de surf. Par contre, c'est de sa faute si elle pense que s'habiller comme Billy Idol tous les jours serait cool aujourd'hui (ou à tout moment, en fait). C'est déjà tellement difficile pour les jeunes de découvrir ce qu'eux-mêmes trouvent cool, ce qu'ils ressentent vraiment, selon leur propre point de vue. Quand on doit en plus filtrer l'opinion de la maman cool, le défi est de taille. C'est qu'elle se fie à ce qu'elle voit à la télé ou, pire encore, dans les magazines de mode pour ados. Elle n'a aucune idée de comment tout ça se reflète chez les jeunes ici, à l'école, dans la vie de tous les jours.

Malgré tout ça, c'est quand même la preuve qu'elle cherche à comprendre ton univers. Avant de penser que les jeans TELLEMENT dépassés qu'elle t'a achetés sont une façon subtile de te dire qu'elle te trouve moche ou qu'elle n'y connaît rien, interprète le geste comme une main tendue qui veut bien faire. Tu ne veux sans doute pas porter ces vestiges d'une autre époque devant tes amis, mais si tu les portes à l'occasion, dans la maison, elle risque de s'en apercevoir et d'apprécier. Si tu peux, essaie de les intégrer à ton style et de trouver une façon de les porter qui te plaît. Accessoirise le tout avec son vieux t-shirt Ozzie que tu as trouvé dans le grenier. Elle y verra une sorte de lien entre vous deux qui lui fera plaisir, ce qui est une bonne chose, dans la mesure où elle ne t'oblige pas à l'accompagner au prochain concert.

Enquête approfondie

Tu n'es sans doute pas la seule pour qui ta mère achète des vêtements. Pour mieux la comprendre (et pour découvrir de bons trucs pour l'amener à arrêter d'acheter les minijupes fleuries que tu détestes), tente de capter le genre de messages que ta mère souhaite passer à travers sa propre garde-robe. Facilite-toi la tâche en appréhendant le projet comme une recherche anthropologique où tu études l'habillement et les rituels d'une culture exotique qui vient à peine d'être découverte. C'est la seule façon de concevoir toute l'étrangeté des coutumes maternelles (mais qui porte un pantalon en velours lors d'une fête organisée autour d'une piscine ?) sans les juger en fonction de ton sens du style, beaucoup plus civilisé. Comme ça, tu comprendras mieux les choix vestimentaires qu'elle fait pour toi.

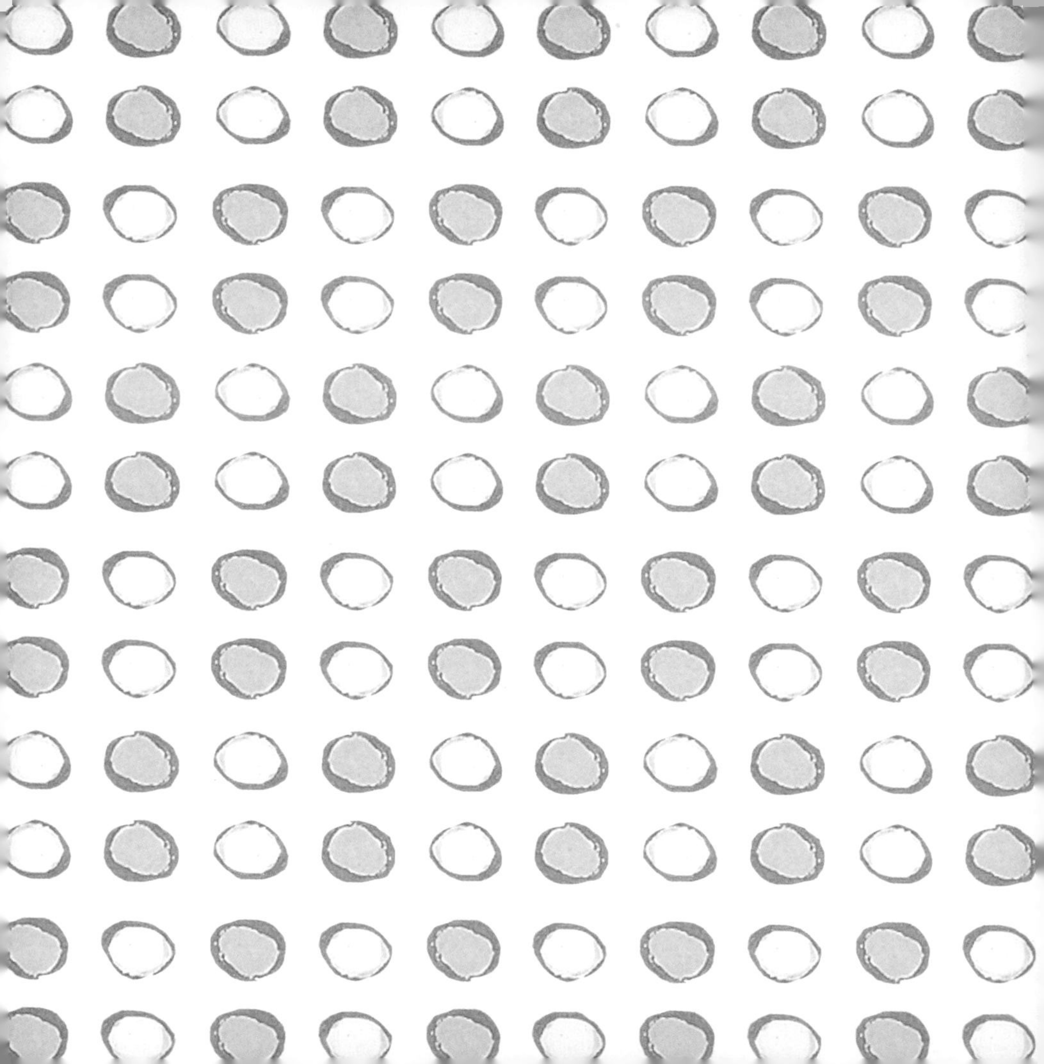

Ne laisse pas tes tâches
entacher ta journée

Oui, un balai est parfois juste un balai. Tu as peut-être l'impression qu'il s'agit d'un instrument de torture quand on te le tend, mais c'est simplement que ta mère trouve que ta chambre est dégoûtante et veut que tu la nettoies.

Par contre, les tâches ménagères, comme le reste, ne sont pas toujours ce qu'elles semblent être. Pour bien répondre aux demandes de ta mère en matière de ménage, tu dois d'abord comprendre exactement ce qu'elle exige.

1- C'est clair et net : ta mère a besoin d'un coup de main

Comme ta mère travaille fort pour que tout se passe bien à la maison, en plus de son travail et ses autres obligations, c'est facile de comprendre pourquoi elle s'attend à avoir de l'aide pour laver la vaisselle ou sortir les poubelles. Et c'est sans doute moins épuisant de l'épauler que de l'entendre se plaindre de tout ce qu'il y a à faire et qu'il n'y a qu'elle qui s'en soucie.

2- Épousseter pour oublier

Il y a un tout autre genre de maman qui préfère ne pas être trop consciente de ce qui se passe dans son environnement. Faire le ménage la rassure et lui fait croire que tout se passe bien dans son petit monde (même quand ce n'est pas le cas). Si tu es persuadée que ta mère a adopté la philosophie « quand la maison est ordonnée, ma vie est ordonnée », alors de grâce, acquitte-toi des tâches ménagères qui te sont assignées et fais bien tes devoirs. Si tout est en ordre, elle sera heureuse et tu seras libre de faire ce que bon te semble sans trop d'interférences de sa part. Évidemment, si quelque chose ne tourne vraiment pas rond dans ta vie, tu devras sans doute aller lui parler, puis l'amener à laisser tomber les moutons de poussière qui roulent sous le divan pour se concentrer sur les tyrans qui t'empoisonnent la vie sur le terrain de basket.

3- J'ai dit : frotte !

Ce genre de mère te donne des tâches en guise de punition, pour te montrer que c'est elle qui commande ou encore pour t'éviter des ennuis. Avec ce type de préfet disciplinaire, assure-toi de te retrouver avec la tâche que tu préfères en répétant à quel point tu la détestes. Si tu trouves ça relaxant de tondre la pelouse, plains-toi de la chaleur et ajoute que ce sera ennuyant à mourir, puis, en moins de deux, tu te retrouveras assise sur le tracteur à gazon, les écouteurs enfoncés dans les oreilles, à faire le tour de ta cour. Ne la laisse pas trop te voir sourire, par contre. Voilà une belle occasion de pratiquer ta plus convaincante expression grognonne, justement celle que ta mère te dit de ne pas faire, à défaut de quoi tu vas rester prise avec cette grimace à jamais.

Une chambre bien rangée = moins d'intrusions maternelles

On a déjà parlé du fait qu'il peut être payant de faire un peu de ménage avant qu'on te le demande, entre autres, pour éviter de fournir à la maman super-fouine un prétexte d'entrer dans ta chambre et de farfouiller dans tes affaires. Tu ne veux pas que ta mère te pose trop de questions sur la radio maison que tu as construite pour écouter toutes les conversations sur sans-fil des voisins ? Range bien ta chambre et occupe-toi de tes oignons. Mais, attention, n'en fais pas trop. Si tu te mets à laver tes vitres ou à déplacer les meubles quand tu passes l'aspirateur, son détecteur de méfait risque de retentir.

Comment carrément y échapper

À certains moments, bien que tu veuilles vraiment aider ta mère (et, du coup, la tenir loin de ton repaire), tu peux ressentir le besoin de te délester de quelques corvées. Ce qu'il te faut ? Une bonne excuse. Assure-toi que cette excuse soit la plus réaliste possible. Par exemple, si tu lui dis que la priorité, c'est tes études, et non le ménage, ce sera plus crédible si tu n'as pas passé tous les soirs de la semaine au téléphone avec tes copines à parler de tout SAUF d'école. Si tu veux que ton excuse scolaire soit plausible, empile plusieurs livres, dont quelques gros bouquins de référence, puis ébouriffe tes cheveux pour illustrer les heures de grande réflexion que tu t'es infligées. Une autre méthode qui a fait ses preuves pour te débarrasser d'une tâche (mais qui ne fonctionne que la première fois qu'on te la confie) est de l'exécuter ridiculement mal. Elle risque de ne plus te l'imposer. Cependant, tu pourrais le regretter si ta mère est du genre à te faire recommencer jusqu'à ce que ce soit bien fait.

Quoi faire quand on se fait prendre

Que toutes celles qui ont déjà fait quelque chose qu'elles ne voudraient pas que leur mère découvre lèvent la main. Oui, mentir, ça compte. Et, oui, penser utiliser certaines tactiques proposées dans ce livre, ça compte aussi. À ce stade, on devrait toutes avoir la main levée. Et si, par hasard, ce livre se retrouvait entre les mauvaises mains, certaines mères seraient aussi du nombre.

Au fil du temps, si tu accumules ce genre de petits délits, tu risques de te faire prendre. En fait, démasquer son enfant alors qu'il fait quelque chose de répréhensible est un élément important dans la description de tâches d'une mère, surtout si elle intervient avant qu'il y ait trop de dommages. Elle s'inquiète pour toi et veut te protéger contre tout ce qui peut avoir une influence négative sur ta vie. C'est rassurant de savoir que quelqu'un veille sur toi, non ?

Certaines idées sont tout simplement mauvaises, comme sortir avec des gens rencontrés au hasard sur Internet, organiser des fêtes qui finissent avec l'arrivée de la police ou tester la dose d'adrénaline que procure un vol de banque. Évidemment, la plupart des choses discutables que tu fais ne sont pas des délits majeurs. Mais, parfois, ces petits écarts de conduite peuvent t'amener à être punie. Le défi, ici, c'est de laisser ta mère faire son travail, c'est-à-dire te protéger, en même temps qu'elle te laisse la liberté d'évoluer.

Limiter les dégâts

En tenant pour acquis que tu vas te faire prendre et que, parfois, ça peut être une bonne chose, comment faire pour minimiser les dégâts ? Comme dans toute interaction avec ta mère, tu dois agir en fonction de son humeur du moment, donc en fonction de sa possible réaction. Déjà, les techniques proposées dans les chapitres précédents sont de précieuses alliées, mais les trois stratégies qui suivent valent la peine d'être essayées.

1- L'approche directe

Aller droit au but est souvent la meilleure des solutions. Essaie de lui faire comprendre. Évidemment, tu dois lui fournir une explication convaincante. Si tu en inventes une qui n'est pas vraie (on pourrait aussi appeler ça un mensonge), tu augmentes ton facteur de risque, puisque tu as maintenant fait deux choses susceptibles de la mettre en colère. Fais attention de ne pas être trop directe, tout de même. Si ta mère te dit : « Comment tu as pu être si stupide ? », elle ne veut pas entendre que c'est d'elle que tu as hérité au moins la moitié de ton cerveau. Elle veut plutôt que tu lui répondes : « Je suis désolée. J'aurais dû t'écouter. »

2- L'approche offensive

Dans plusieurs disciplines des arts martiaux, on soutient que la meilleure façon de vaincre un ennemi est d'utiliser ses propres forces contre lui. Ce qui ne veut pas dire que tu dois percevoir ta mère comme une ennemie, non, mais quand tu te prépares à affronter sa colère, miser sur ses forces peut adoucir son attaque. Rappelle-toi cependant que ton but n'est pas d'avoir le dessus sur elle. Tu dois trouver une issue dont vous sortirez toutes deux gagnantes. Le type d'approche offensive que tu dois adopter dépend du genre de mère que tu dois confronter :

- Si ta mère mise sur la résolution de problèmes, présente-lui tes méfaits comme un problème qu'elle peut t'aider à résoudre. Comme ça, au lieu de te crier par la tête à cause du bordel que tu as fait, elle va réfléchir aux stratégies de rangement qu'elle pourrait te transmettre. Elle peut aussi te montrer la meilleure façon de le ramasser. Cela dit, si ta mère n'est pas d'humeur à t'aider, tout ça peut mal tourner.

- Si ta mère est plutôt du genre à l'écoute, raconte-lui une très longue histoire. Il y a des années, Schéhérazade a eu la vie sauve en racontant à son bourreau une histoire interminable. Si tu arrives à échafauder un récit assez captivant, tu arriveras peut-être à éviter l'échafaud. Évidemment, tu peux aussi te faire interdire la parole pour deux mois. Mais... qui ne risque rien n'a rien.

3- L'approche défensive

Dans certaines circonstances – et les plus grands maîtres d'arts martiaux te le confirmeront –, il est plus sage d'éviter tout conflit. Si ta mère s'est transformée en maman hurleuse, tu ferais sans doute mieux de t'asseoir, silencieuse, et de l'écouter parler. Finalement, il y a une dernière chose que tu peux faire : t'excuser. Ça aura l'avantage de faire cesser les cris, surtout si tu es sincère (ou si ta mère n'y voit que du feu).

L'inquiétude perpétuelle

Nos mères sont démesurément fâchées pour de petites choses parce que, entre autres, elles perçoivent tous nos petits délits – sortir en cachette pour rejoindre nos amis, écouter les « mauvais » choix de musique, organiser une fête un peu trop bruyante – comme les premières étapes vers une vie parsemée de crimes et de regrets. Tu dois toujours te rappeler ceci : ta mère réagit à la peur de ce qui pourrait être, non de ce qui est. Dans cet état terrifié, ta mère peut être affectée d'un mal étrange : son ouïe peut cesser de fonctionner. Tu auras beau lui répéter à longueur de journée que ce que tu as fait n'est pas si pire que ça, elle n'entendra tout simplement pas.

Quand tu fais face à ce genre de situation, laisse la poussière retomber et sa colère s'atténuer. Le temps arrangera les choses beaucoup plus efficacement que tes complaintes qui, d'ailleurs, dans son esprit, ne font qu'appuyer son droit d'être exaspérée. Quand elle semble atteinte de cette quasi-surdité, ne fais aucun mouvement brusque qui pourrait la faire sursauter; comme elle est énervée, tous ses actes deviennent imprévisibles. La meilleure stratégie consiste à l'écouter et à la laisser ventiler. Il peut aussi être utile de ne pas oublier ce qui l'a mise en colère en premier lieu (que ce soit justifié ou non) et, à l'avenir, de t'abstenir de le refaire.

Comprendre ta relation (nouvellement interprétée, probablement améliorée et nettement plus intéressante) avec ta mère

Te voilà experte en matière de comportement et de tactiques de manipulation maternels. Tu te crois donc prête à mettre ce livre de côté et à foncer dans la vie, tête haute, parée pour affronter tous les défis d'éducation parentale. Malheureusement, ce serait bien injuste de te laisser aller comme ça. Plusieurs aspects du monde mère-esque te semblent sans doute bien simples, mais nous avons le regret de t'annoncer que le monde dans lequel tu évolues est sournoisement complexe. C'est pourquoi nous nous devons d'émettre ces trois avertissements.

1. Sois au fait des risques qu'implique la création d'une maman cool

Oui, tu pensais que ta mère était un peu coincée, un peu rigide. Elle fouinait et t'achetait des vêtements moches. Elle était toujours sur ton dos pour tes devoirs et la vaisselle. Tu as dépensé énormément d'énergie pour la rendre plus cool, plus relax. Enfin, après de nombreux essais et de percutantes techniques persuasives (que tu as peut-être puisées dans ce livre), tu penses bien avoir créé le parfait modèle de maman à ton goût. Vous avez échangé, vous vous êtes rapprochées, vous avez partagé secrets et anecdotes. Le choc des générations dont on a parlé semble maintenant chose du passé. Elle est devenue une maman cool. Bien joué.

Peut-être un peu trop bien joué... car elle veut maintenant sortir avec toi.

La maman cool peut être cool. Mais la maman cool peut aussi devenir ingérable. On peut difficilement dire pourquoi. C'est peut-être qu'elle veut revivre ses belles années de jeunesse, ou alors c'est la toute première fois qu'elle tente d'être cool. Ça peut être drôle d'être amie avec ta mère, mais tu ne veux pas qu'elle cesse d'être une mère pour autant. Et tu ne veux surtout pas qu'elle soit toujours là pour faire la fête avec tes amis et toi.

Si tes amis commencent aussi à croire qu'elle est cool, tu n'es pas au bout de tes peines. Si elle se met à t'emprunter des vêtements et à texter tes copines pour savoir qui a fini avec qui à la fête d'hier soir, tu peux aussi bien mettre une croix sur ta vie sociale.

La clé, dans la relation avec ta mère, c'est l'équilibre. Si la maman cool devient trop intense, applique les mêmes techniques que tu as utilisées pour transformer ta mère en maman cool, puis ramène-la dans son rôle de mère normale. Si tout ce qu'elle veut, c'est faire la fête, demande-lui de t'aider avec tes devoirs. Si tu es chanceuse, elle captera le signal et comprendra que tu aimerais qu'elle redevienne un peu plus adulte et qu'elle reprenne sa place en tant que parent. Si elle a trop bien assimilé sa nouvelle vocation, il se peut qu'elle te traite comme une nerd. Au moins, d'une façon ou d'une autre, tu seras en mesure d'instaurer certaines limites.

2- Affronte le défi absolument surmontable qu'est la compréhension mutuelle

Les mamans cool et les mamans pas-si-cool-que-ça ont au moins une chose en commun : elles ont besoin d'être comprises, tout comme leurs enfants. Si ta mère et toi arrivez à mieux vous comprendre, un bien beau chemin ensoleillé s'ouvre devant vous (et, qui sait, si tu le mérites vraiment, tu obtiendras peut-être un nouveau vélo pour rouler dessus).

Les malentendus entre une mère et sa famille, ça te dit quelque chose ? Sois bien attentive à la petite histoire qui suit. Prends des notes.

C'est l'histoire d'une mère qui faisait de son mieux pour cuisiner de bons petits plats pour sa famille. Ses garçons se plaignaient tellement de ses repas bio santé qu'elle a fini par abandonner et leur a dit : « Débrouillez-vous ! Vous cuisinerez vous-mêmes. » Elle était convaincue qu'ils la supplieraient de retourner aux fourneaux.

Il s'est avéré que les garçons et leur père aimaient bien préparer leurs repas. Leur mère leur avait inculqué suffisamment de bonnes habitudes pour qu'ils ne se lancent pas tête première dans la malbouffe, mais ils préparaient au moins des mets qui leur plaisaient. Au début, la mère était un peu insultée qu'ils ne veulent pas revenir à sa cuisine maison – que ses fils qualifiaient gentiment de « foin accompagné de fruits » –, puis elle s'est vite rendu compte à quel point c'était génial de ne plus avoir à cuisiner et, surtout, de ne plus les entendre se plaindre.

Personne n'avait prévu que ça se passerait de cette façon. Les gars pensaient que s'ils grognaient assez fort, leur mère changerait son menu, alors que la mère pensait qu'en faisant la grève, ses garçons feraient amende honorable et verraient qu'ils avaient tort. Finalement, tout le monde en est ressorti gagnant, en quelque sorte, et ce, grâce à la communication. Pas toujours de la façon la plus gentille qui soit, on en convient, ni sans beaucoup de mots, mais toujours le plus ouvertement et le plus honnêtement possible. Le but de ce livre est non seulement de t'aider à mieux comprendre ta mère, mais aussi à te transmettre des trucs pour faciliter la communication avec elle.

3- Accepte la possibilité d'être (parfois) décodée par ta mère

Tu ne pensais pas sérieusement que tu allais t'en sortir aussi facilement ? Nos mères ont des besoins, elles aussi. Ici, on a tenté d'explorer les humeurs que peut avoir ta mère et les messages pas toujours clairs qu'elle essaie de faire passer. Mais il y a sûrement des légions de mères qui aimeraient bien mettre la main sur un décodeur pour démystifier leur enfant. Il y a même plusieurs enfants qui ne sont pas toujours certains de se comprendre eux-mêmes. (Pourquoi déjà je me suis fait tatouer ça... sur ce bout de peau-là ?)

Ce qu'il faut savoir, c'est que certains efforts devront être déployés pour que tu arrives à comprendre ta mère et qu'elle, à son tour, en vienne à te décoder. Alors, si tu vois qu'elle essaie, ne lui mets pas de bâtons dans les roues. Ce ne serait pas super si, comme par magie, les mères et leurs enfants pouvaient mutuellement lire dans leurs pensées ? Malheureusement, ce n'est pas comme ça que ça marche (ce qui n'est pas une mauvaise chose en soi, surtout pour ces moments où tu ne veux absolument pas que ta mère ait accès à ce qui se passe dans ta tête). Essaie de la récompenser, de temps en temps. Ta mère est un être humain, comme toi, et rappelle-toi à quel point son rôle de mère peut être difficile à assumer et à quel point il est vital. Elle doit s'assurer que tu vieillis bien, que tu réalises ton plein potentiel et, en plus, que tu traces ton chemin en toute sécurité. Si ça se trouve, même si tu ne t'en rends pas encore compte, elle se débrouille plutôt bien.

Jake Miller

est l'auteur de nombreux livres pour enfants sur des sujets variés, tels que l'histoire du mouvement pour les droits civils, le visage des communautés et la biologie des lézards et des araignées. Il écrit aussi pour les adultes, tant sur la culture, la science que le voyage. Il a également participé à de nombreuses critiques littéraires pour le New York Times. Il habite Boston avec son épouse et il tient à remercier sa mère pour tout ce qu'elle a fait pour lui.